5

Dans les contes, les fées
se penchent sur le berceau
du bébé. Chacune fait un souhait :
la princesse sera la plus jolie, la plus
intelligente, dansera merveilleusement,
chantera comme un oiseau...

6

Les princesses

Texte de Stéphanie Ledu
Illustrations de Lucie Brunellière

MiLAN

Une princesse, c'est la fille d'un roi et d'une reine. Sa naissance est toujours célébrée par une grande fête !

La princesse grandit dans un beau **château**.
Sa **gouvernante** veille à ce qu'elle ne fasse pas
de **bêtises**. Ses **servantes** s'occupent de sa **garde-robe**.

Ses **professeurs** lui apprennent à se tenir droite,
à faire la **révérence** et à manger de façon distinguée !

La princesse n'a pas toujours une vie de rêve !
Dans les contes, il y a aussi des **méchants**
qui veulent lui faire du mal...

11

La belle-mère de **Blanche-Neige** ne supporte pas que la jeune fille soit devenue plus belle qu'elle. Elle envoie un chasseur pour la tuer.

Vite, princesse,
cours te cacher
dans la forêt !

Dans une histoire très connue au Japon,
une princesse a la tête coincée dans un grand bol.
Chassée par sa famille, elle devient servante
au château d'un seigneur.

Quelqu'un finira-t-il
par deviner qui elle est ?

14

Ces princesses des contes nordiques sont retenues prisonnières par un troll à plusieurs têtes.

Elles doivent passer
leurs journées à ôter
les poux de ses cheveux !

17

Qui vient **au secours** des princesses ?
Parfois, c'est une **fée**. Parfois, ce sont
des **animaux**, car elles savent leur parler !
Mais le plus souvent, c'est un **jeune homme**...

Qu'il soit fils de paysan ou fils de roi,
ni les dragons, ni les ogres,
ni les sorcières ne l'effraient !

Beau et courageux, il est bien
le prince que la princesse
attendait...

Tout se termine par un grand mariage,
où tout le monde est invité. Le prince et la princesse
vivront heureux et auront beaucoup d'enfants !

23

Dans la réalité, il existe aussi de vraies princesses.

Tout le monde s'intéresse à elles.
Elles doivent donner une bonne image
de leur pays ou de leur royaume,
et essayer d'être parfaites !

Bienvenue

25

Cette princesse profite de sa célébrité
pour aider les autres.

Aujourd'hui, elle est venue inaugurer
une **nouvelle école** dans un pays pauvre.
Demain, elle visitera des **malades à l'hôpital**...

27

Et maintenant, demande à ta maman et ton papa. Ils connaissent eux aussi une vraie petite princesse.

Tu as deviné ?
C'est toi !

Découvre tous les titres de la collection

Mes P'tits DOCS

Au bureau
Le bébé
Le bricolage
Les camions
L'école maternelle
L'espace

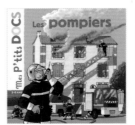